Porffor, Merlen Hud yr Enfys

I Em Fach, am byth X – SK
I Maddox bach – ST

Cyhoeddwyd gan RILY Publications Ltd, Blwch Post 20, Hengoed CF82 7YR
Hawlfraint yr addasiad © 2013 RILY Publications Ltd
Addasiad Cymraeg gan Bethan Mair

ISBN 978-1-84967-149-1

Cyhoeddwyd yn wreiddiol yn Saesneg yn 2012 fel *Princess Evie's Ponies: Indigo the Magic Rainbow Pony*
gan Simon & Schuster UK Limited
Cysyniad © 2009 Simon and Schuster UK
Hawlfraint y testun © 2012 Sarah KilBride
Hawlfraint y darluniau © 2012 Sophie Tilley

Argraffwyd yn China

www.rily.co.uk

Merlod y Dywysoges Efa

Porffor, Merlen Hud yr Enfys

Sarah KilBride

Lluniau gan Sophie Tilley

Addasiad Bethan Mair

www.rily.co.uk

Roedd yn bwrw glaw yn Stablau'r Sêr. Aeth y Dywysoges
Efa ati i lanhau cyfrwy pob un o'i merlod. Dyna waith diflas,
ond wrth iddi orffen sgleinio'r cyfrwy diwethaf,
gwenodd yr haul drwy ddrws y stabl.
"Dwi'n meddwl ei bod hi'n bryd cael antur,"
meddai Efa'n hapus.

Merlod hud oedd merlod Efa, welwch chi. Pryd bynnag y byddai hi'n eu marchogaeth, byddai'n dianc ar antur i fyd llawn hud yn bell, bell i ffwrdd.

"Dere, Porffor," gwenodd Efa wrth arwain ei merlen hardd i'r buarth. Gwisgodd Efa ei rycsac oedd yn llawn o bethau defnyddiol a neidio ar gefn Porffor.

Sbonciodd Serog y gath yn gyffrous drwy'r pyllau dŵr. Roedd hi'n dwlu cael mynd ar antur!

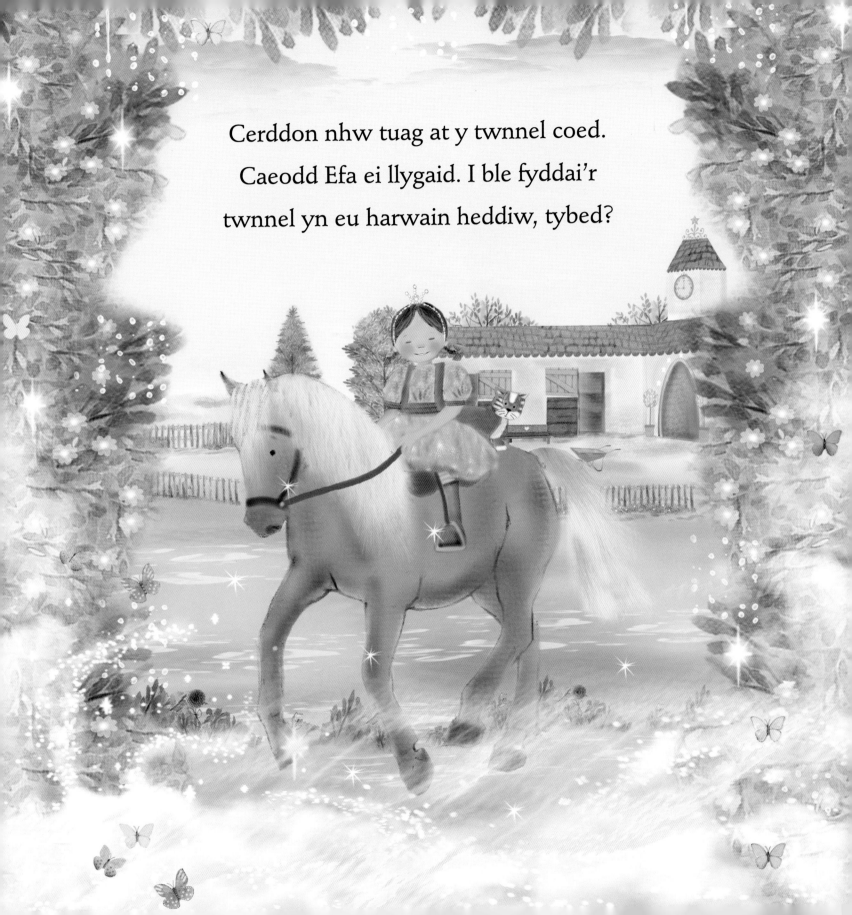

Cerddon nhw tuag at y twnnel coed. Caeodd Efa ei llygaid. I ble fyddai'r twnnel yn eu harwain heddiw, tybed?

Agorodd ei llygaid a gweld parti o liwiau. Dawnsiai ieir bach yr haf gloyw o'i chwmpas ac roedd ei dillad wedi newid i liwiau'r enfys – hyd yn oed ei sanau!

Roedd mwng a chynffon Porffor yr un mor lliwgar a hardd â'r ieir bach yr haf. Yn yr awyr uwchben, pefriai enfys. "Dwi'n meddwl bod yr ieir bach yr haf am i ni eu dilyn!" meddai Efa. "Dyna gyffrous!"

Aeth yr ieir bach yr haf â nhw at ddiwedd yr enfys, ond dyna
siom a gafodd Efa wrth gamu allan o'r cymylau i mewn i ardd
llawn blodau llwyd. "I ble aeth y lliwiau i gyd?" meddai'n drist.

Yr eiliad honno, mewiodd Serog a mynd draw at ffynnon.

Yno, roedd map a phennill arbennig.

Y Rhaeadr Ddisglair

Pen y Bryn

Chwilia am saith merch yr enfys,
Tyrd â'u cerrig i'r ffynnon felys.
Troella'r cyfan yn y dŵr,
Gweli liwiau hud, bid siŵr.

Tŷ Haf Rhosyn

Cae Blodau'r Haul

"Dwi'n meddwl y dylen ni fynd i Dŷ Haf Rhosyn gyntaf,"
meddai Efa, gan gychwyn yn syth.

Ymhen dim, gwelson nhw Rhosyn. Roedd hi'n dal carreg ruddem mewn hances goch. "Beth am gyfnewid?" gwenodd Efa, gan dwrio i'w rycsac.

Rhoddodd Efa ruban coch i Rhosyn. "Dyma ti!"

"Diolch, Efa," gwenodd Rhosyn, gan glymu'r ruban yn ei gwallt tonnog.

Rhaeadr ddisglair oedd y llecyn nesaf ar y map. Roedd Glesni a Deilen yno'n trochi eu traed yn y dŵr oer. Daeth Efa o hyd i ddarnau o bapur yn ei rycsac a bu'n helpu'r merched i wneud cychod bach i'w hwylio yn y pwll.

"Diolch, Efa," chwarddodd y ddwy, wrth roi cerrig saffir ac emrallt iddi.

"Dim ond pedair carreg ar ôl, Serog!" gwenodd Efa.

I ben y bryn aeth y map â nhw nesaf.

Roedd Rhoswen yno'n canu gyda'r adar.

Ymunodd Efa yn y gân brydferth.

"Mae hon i ti!" gwenodd Rhoswen.

Rhoddodd garreg risial i Efa yn gyfnewid

am ddwy bluen hardd i'w gwisgo yn ei gwallt.

Y man nesaf ar y map oedd cae blodau'r haul. Yno roedd Heulwen a
Saffrwn yn cael picnic. "Mae gen i rywbeth i chi," meddai Efa.

Rhoddodd fricyllen i Heulwen ac eirinen wlanog i Saffrwn.

"O! Ein hoff ffrwythau!" meddai'r merched,
wrth iddyn nhw roi eu cerrig sgleiniog iddi.

"Dim ond un garreg ar ôl," meddai Efa wrth iddyn
nhw ddilyn y map yr holl ffordd yn ôl i'r ardd.
Ond ble roedd y garreg honno?

"Wnaiff yr hud ddim gweithio hebddi," meddai'n drist.
Yn sydyn, carlamodd Porffor i rywle.
"Ble wyt ti'n mynd?" galwodd Efa.

Ar ôl munud neu ddwy, daeth Porffor i'r golwg rhwng y llwyni rhosod, â rhywun ar ei chefn – merch oedd yn dal y garreg olaf!

"Fioled ydw i," meddai'r ferch ond, wrth iddi estyn y garreg
amethyst i Efa, llithrodd o'i llaw a rholio ar hyd y llwybr.
Er iddi wneud ei gorau, allai Serog ddim rhwystro'r garreg
rhag cwympo i mewn i dwll tywyll, dwfn.

"Wnawn ni byth ei chael yn ôl," meddai Fioled.
"Miaw!" meddai Serog, gan daro'i phawen yn erbyn poced rycsac Efa.
Tynnodd Efa ddarn hir o linyn o'r boced.

"Fe wnawn ni gyda hwn," meddai hi,
"ond bydd angen help gan yr ieir bach yr haf."
Cariodd yr ieir bach yr haf un pen y llinyn i
waelod y twll a'i glymu o amgylch y garreg.

Tynnodd Efa'r garreg amethyst yn ofalus o'r twll.
"Hwrê!" meddai Fioled. "Hwyl hud amdani nawr!"

Wrth i Efa ollwng y cerrig fesul un i'r ffynnon
daeth merched yr enfys i'r golwg. Dechreuodd y dŵr
chwyrlïo, a ffrwydrodd swigod amryliw dros yr ardd.
Roedd popeth yn lliwgar unwaith eto!

Dawnsiai ieir bach yr haf ac adar prydferth drwy liwiau'r enfys.

"Hwrê!" meddai Fioled. "Dewch i chwarae cuddio!"

Roedd pawb yn cael cymaint o hwyl, sylwodd neb ar y cymylau duon yn yr awyr. "Mae'n edrych fel glaw," meddai'r Dywysoges Efa. "Fel arfer," gwenodd Fioled. "Wedi'r cyfan, does dim enfys heb law. Gwell i ti fynd cyn i ti wlychu."

Mwythodd Fioled drwyn melfed Porffor.
"Dere â nhw 'nôl i ardd yr enfys eto'n fuan!" sibrydodd.

Ffarweliodd Efa a Serog â hi, ac fe drotiodd Porffor yn ôl drwy dwnnel y coed.

Yn ôl yn Stablau'r Sêr, tynnodd Efa'r rycsac oddi ar ei chefn a sylwi ar ymbarél bach ynddi. Roedd lluniau o ieir bach yr haf lliwgar drosto.

Yn sydyn, cleciodd taran yn yr awyr, a dechreuodd fwrw glaw yn drwm.

Cododd Efa ei hymbarél newydd. "Daw'r heulwen yn ei hôl toc,
ac wedyn fe gawn ni enfys hyfryd!" meddai hi.

"Diolch Fioled, a diolch i ti, Porffor,
fy merlen hud yr enfys."
"Miaw!" meddai Serog.

Mae mwy o
lyfrau lliwgar
i'w gweld ar
www.rily.co.uk